KB171890

영천 포도잎 비누 이야기

발　행 | 2022년 7월 19일
저　자 | 박성진, 최수경, 조정혜, 류하늘, 김사라
펴낸이 | 한건희
펴낸곳 | 주식회사 부크크
출판등록 | 2014.07.15.(제2014-16호)
주　소 | 서울시 금천구 가산디지털1로 119, SK트윈타워 A동 305호
전　화 | 1670 - 8316
이메일 | info@bookk.co.kr

ISBN | 979-11-372-8954-3
www.bookk.co.kr

목 차

I. 친환경 비누 개념

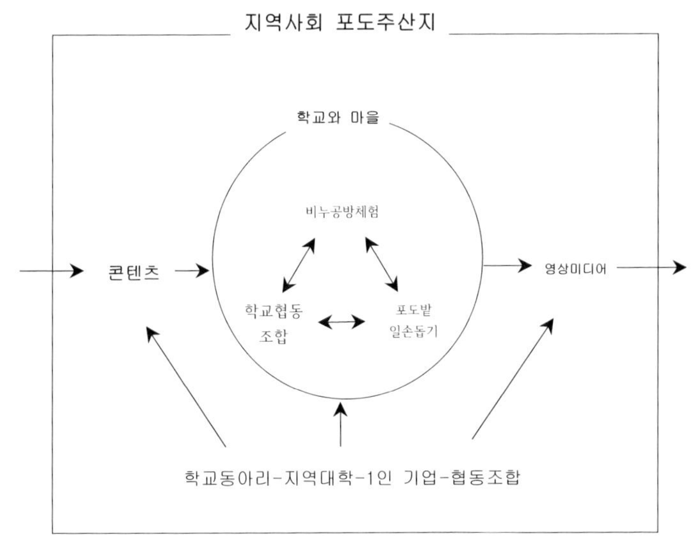

[그림 2] 영천 포도잎 비누 연구 모형

비누는 다양한 이름으로 우리 곁에 있다. 친환경비누, 고체 비누, 액체비누, 리퀴드 솝, 거품비누, 비건비누, 수제비누, DIY 비누, 천연비누, 디자인 비누까지 최근 핸드메이드 비누 시장은 바야흐로 르네상스 시대다. 이 책은 비누에 대한 일반적 이해를 돕기 위한 목적과 제자와 스승이 친환경 탄소중립을 목적으로 하는 캠페인 활동의 일환으로 만들어졌다. 우리는 비누 전문가도 이공학사도 아니지만 무언가 세상을 조금 더 나은 곳으로 바꾸는 체인지메이킹에 도전하고 새로운 모험을 시도하는 것을 좋아한다. 일상 속에서 우리가 만나는 발견과 창의성의 순간을 놓치지 않으면서 우리를 둘러 싼 세계와 지구, 그리고 그 안에서 만나는 사람들과의 따뜻한 나눔과 소소한 기쁨의 순간들을 기록하고 싶어 이 책을 만들었다. 이 책은 매거진의 형식을 채택해서 조금은 어수선하다. 일기, 논문, 기사, 문학, 도표, 그림, 사진 등등의 글감과 이미지, 텍스트들이 우리가 모은 아이디어의 흐름에 따라 마구잡이로 널려 있다. 어수선한 빨랫줄에 널린 두달간의 빨래가 끝나고 바싹 마른 깨끗한 옷을 보고 싶었지만 여전히 어수선한 건 마찬가지다. 하지만 이 또한 소소한 삶의 즐거움으로 여기며 글을 이어가고자 한다. 다음은 영천 포도잎 비누라는 엉뚱한 걸 이슈로 들고 나온 박선생의 일기이다.

어쩌다 비누를 연구하게 되었는가?

어느 날 수업을 하면서 아이들과 자기가 좋아하는 유럽 명화에 대해 영어로 발표하는 시간이 있었다. 교과서에 그림에 관한 영어지문이 나왔었다. 아이들과 나는 고흐의 그림을 보며 유럽의 태양과 밝은 밀밭, 프로방스풍 꽃과 나무, 유럽의 시골 풍경과 바람 등등에 영감을 받으며 각자의 발표를 즐기고 있었다. 그 날 나는 어느 보통의 날처럼 집 근처 마트 2층에 가서 여러 살림살이를 구경하며 쇼핑을 하고 있었다. 강한 사이프러스 향이 나는 이태리 비누 코너에서 사이프러스 나무 비누를 보고 영어수업을 하며 보았던 고흐의 명작이 떠올랐다. 사이프러스 비누의 향을 맡으니 고흐의 그림이 그려진 유럽의 작은 마을이 연상되었다.

빈센트 반 고흐, 1889, 캔버스에 유채, 72.1cm*90.9cm, © The Bridgeman Art Library, 런던내셔널 갤러리, 사이프러스나무가 있는 밀밭

그래서 이태리 사이프러스 비누를 사서 집에 왔다. 거품이 손에 닿는 느낌이나 향이 딱 나의 취향에 맞았다. 그러면서 가끔 무료할 때면 비누에 대해 검색을 해 보곤 했다. 그러다가 몇 달 전 딸의 친구 엄마가 어느 날 나에게 건내 준 비누 거품망 하나가 탁자 위에 있길래 망을 끼워서 비누 거품을 내고 손을 씻었다. 생각보다 거품도 잘 나고 액상 비누도 마침 떨어져서 며칠을 써 보았다. 너무 풍성한 거품과 진한 사이프러스 향은 업무와 수업에 지친 나에게 작은 일상의 행복이었다. 그 길로 사이프러스 비누를 여러 개 사서 주변에 거품망을 끼워 선물했더니 반응이 좋았다.

코로나로 청결은 이제 자기 보호의 기본이 되었고, 액상 세제의 화학성분이 몸에 해롭다는 생각은 늘 있었기에 천연비누에 자연스레 관심이 갔다. 이태리 비누와 프랑스 비누는 종류도 다양하고 거의 대부분 천연물질을 사용했고 동물실험을 반대하고 비건문화나 전통수제 방식을 고집하는 문화를 대대로 이어 오고 있었다. 꾸준히 검색하다 보니 비누 DIY 키트가 보였다. 요즘은 온라인 주문이 간편해서 금방 물건이 오니까 연구 속도도 빨랐고 퇴근하고 머리를 식힐 요량으로 비누 만들기에 도전해 보았다.

그러던 어느 날 화장실에서 넘어져 다리를 다쳤다. 그날 따라 체험 인솔을 하고 피곤하기도 했고 갑자기 더워진 날씨에 체력이 소진되기도 했었다. 자칫 뇌진탕으로 쓰러질 수도 있었는데 다행히 무릎 염좌여서 목발을 짚고 2주를 학교에 다녔다. 당연히 씻는 것도 불편해서 변기에 앉아 샤워를 2주 할 수밖에 없는 신세가 되었다. 일하랴 육아하랴 공부하랴 바빴던 나의 중년의 일상은 잠깐 멈춤의 신호등이 켜졌고, 늘 활기차던 나의 일상엔 문득 이렇게 살면 안된다 라는 생각이 스쳐 지나갔다. 모든 워킹맘들이 그렇겠지만 여성의 일상은 다분히 희생적이다. 그러던 일상에 비누가 스며들었다.

그때 내 눈에 보인 비누는 이전의 비누와는 매우 달랐다. 사람이 태어나서 죽기 전날까지 해야 할 일이 뭐가 있을까? 씻는 거 자는 거 먹는 거 화장실 가는 거 책을 보는 거 대화를 나누는 것 정도가 아닐까? 나는 그 날비누 연구도 하고 하이데거의 철학책도 읽고 비누를 소설로 쓴 프랑스 작가의 책도 읽으며 다리가 아파서 침대에서 내려오지 못하는 답답한 일상을 비누책과 철학책으로 채우고 있었다. 잠깐 멈춤의 시간들은 나에게 잠깐 독서를 허락했던 것이다. 그리고 이왕 이렇게 된 거 비누나 연구하자 하며 검색을 시작했다. 아직 쓰다 만 철학박사 논문은 잠시 접어두고 비누 과학 지식을 다루는 책과 논문이 눈에 들어 온 것이다.

지역의 봄내음 비누체험공방 사장님, 포도잎 박사 울산과학대 식품영양학과 최수경 교수님은 그런 검색어들 사이 사이에 만난 인연들이다. 비누 때문에 나와 아이들과 인연이 닿은 사람들은 한결같이 즐겁고 생기가 넘치는 분들이었다. 요즘은 무언가 새로운 일에 도전하기가 쉬운 환경이고 특정 분야의 새로운 정보를 찾는 것이 중요한 능력이 되었다. 나는 유치원 시절부터 보물찾기를 잘했다. 숲에 선생님, 친구, 엄마와 소풍 가서 보물찾기하며 길러진 관찰력 덕분인지 이상하게 나는 찾는 것을 남들보다 잘하는 것 같다. 별명도 검달이다. 검색의 달인...ㅎㅎ 그러다 학교와 학생들, 부모님들, 지역민들, 동료교사들이 비누 만들기에 호응을 보내주었고, 그때 당시 박사논문준비로 논문을 하루에 수십편씩 검색하고 읽던 터라 국회 전자도서관의 최수경 박사팀의 포도잎 효능 논문을 읽고는 바로 아버지와 언니네가 운영하는 포도밭의 포도잎을 채취했고 박사님의 모교이자 나의 모교인 영남대에 전화를 해서 박사님과 인연이 닿았다. 그리고 2주간 건조 후 언니네 집에 마침 분쇄기가 있어 고운 가루를 내어 비누에 섞어 보았다. 아이들과 나는 비누공방에서 포도잎이 비누로 변신하는 순간을 보며 신기하기도 하고 놀라웠다. 늘 화장실에 가면 있는 녀석인데 내 손으로 만들 수 있다는 신기한 자신감에 곧바로 연구에 착수했다. 체험 보도 자료는 금방 영상 플랫폼과 인터넷 신문에 실렸다. 이 역시도 인연의 힘이다. 영상은 포도밭을 하는 정혜가 만들었고, 신문기사는 나와 오랜 인연이 있고 억대농부라는 책으로 유명한 박순하기자님이 업로드해 주셨다. 공방사장님, 나, 언니, 박사님, 기자님, 정혜와 하늘은 모두 포도밭이 맺어 준 귀한 인연들인데 결국 포도잎 비누 인연으로 바뀌어 버렸다. 인생은 참 신기하다.

그러나 물러지고, 색도 탁해지고, 꿀을 넣어 개미도 달라 붙고, 색소를 넣으니 세면대가 빨갛게 되고, 무엇보다 나는 이 분야에 대한 지식이 약했다. 그러나 요즘은 유튜브에 다 나온다. 검색을 잘하면 전문가의 비누레시피도 손쉽게 구할 수 있다. 쿠팡과 네이버와 유튜브와 구글은 발명의 가장 큰 도구이다. 이렇게 뭔가 집중적인 연구가 시작된 지 2달이 지나고 이렇게 영천 포도잎 비누이야기는 책으로 나오게 되었다. 이 책의 모든 기금은 금호여중 포은고 장학금으로 기부되며 이후의 내용은 모두 조정혜와 류하늘, 최수경 박사님과 함께 공유하고 교정하고 작업한 내용들 이며, 우리 셋은 영천 포도잎 비누이야기의 공저자이자 공동 개발자들이다. 우리는 비건과 친환경적인 안전하고 손쉽게 만들고 체험할 수 있는 자연의 선물, 영천 포도잎 비누를 좋아하는 사람들이다. 이제 본격적으로 비누에 대한 과학적인 상식들을 늘려가 보자.

비누 개념의 상대성에 대한 해석

비누화를 나타내는 pH는 8 이상이다. 세균이 살 수 없는 조건이 8이기 때문이다. 그러나 8 이하라는 현실적 조건에 놓인 비누가 비누의 기능을 전혀 할 수 없는 조건은 아니다. 사용자의 필요적 조건에 의해 요즘은 약산성 비누도 잘 팔리기 때문이다. 굳이 pH가 기준이 아니더라도 비누의 차이를 나타내는 기준은 다양하다.

국가별 비누의 생산 결과물을 보더라도 비누의 생산지역과 회사마다 매우 차이가 크다.

pH 테스트는 왜 중요한가? pH는 물 속의 수소이온 농도의 측정 수치로, 고농도의 수소이온을 갖고 있는 용액은 낮은 pH를 가지며, 저농도의 수소이온을 갖은 용액은 높은 pH를 갖게 된다. 중성은 pH 7, 그보다 높을 때는 알칼리성, 그보다 낮을 때는 산성이다. 수제 비누는 대개 pH 8~10 사이이며, pH 11까지 나올 수 있다. 수제비누는 정상 범주의 pH(주로 8~10)이다. 핸드메이드 비누는 온도와 오일에 따라 24시간에서 수주가 걸릴 수 있다. pH테스트는 품질관리 방법 중 하나이며, 정상범위의 pH에 들어가 있다는 것을 보여준다.

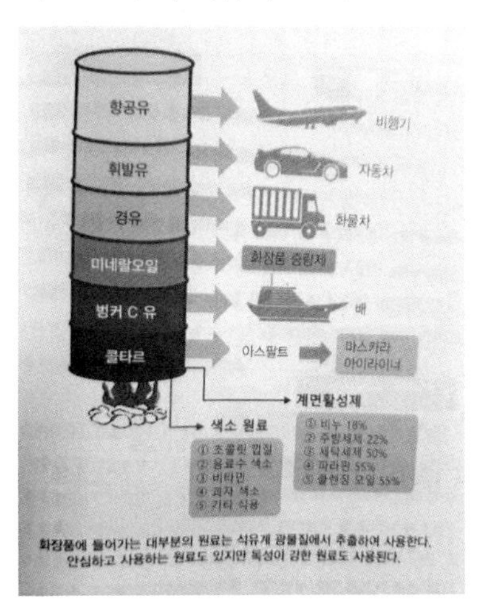

< 출처 : https://blog.naver.com/saellina/222304120165 >

몇 가지 해외에서 생산된 비누를 비교해 보았다. 독일의 비누는 보통 두께에 직사각형의 밝은 베이지 빛깔의 무향 무취였으며, 미국 비누는 타원형에 핑크빛이고 중간에 비둘기 모양의 음각이 새겨져 있었다. 인도네시아 비누는 작은 크기의 타원형에 500원이라는 믿기지 않는 가격에 팔리고 있었다. 반면에 이탈리아 비누는 다양한 식물과 꽃과 나무를 재료로 긴 바(bar) 형태로 천연향을 간직한 채 오랜 비누 역사를 가지고 있었다. 반면에 왕실 비누로 알려진 프랑스의 비누는 정육면체라는 독특한 형태에 올리브 오일 함량을 포장에 적어서 비누에 대한 품질 신뢰도를 높였고, 무엇보다 다른 비누와는 다르게 강한 약품의 향이 나서 뭔가 소독되었다는 느낌을 주었다.

투박한 포장과 강한 타이포 색으로 비닐 포장된 남미의 비누는 빨래 비누처럼 큰 크기였다. 인도의 비누는 붉은 색의 포장재에서 오는 뭔가 불교 장식 느낌의 문양이 인상적이었고 둥근 형태를 띄고 있었다. 터키는 독특하게도 나무로 만든 비누 받침대를 같이 끈으로 묶어 포장해서 비누를 사면 비누 받침대도 같이 얻게 되었다. 또한 한국의 경우 천연 고체 비누 사용과 제작이 증가하고 있는 추세인데, 최근 액상 비누가 합성 계면 활성제로 만들어져서 환경과 인체에 그리 좋지 않다는 인식이 생겨나고 있기 때문이다.

물론 모든 비누의 가격, 용량, 원료, 세정력이나 미적인 포장과 브랜드 디자인, 촉촉한 느낌과 약제적 효능, 화장품으로서의 보습력과 안전성 등등을 모두 감안해서 딱 하나의 비누를 택하라고 하면, 심각하게 오래 고민해야 할 것 같았다. 그런데 요즘엔 제로웨이스트, 제로플라스틱, ESG, ESD, 친환경, 생분해, DIY, 탄소중립 분위기에 힘입어서 비누를 사용하는 인식적 환경이 많이 바뀌었다. 그래서 각자 집에서 필요한 만큼만 만들어서 사용하자는 사람들도 늘고 있고, 나만의 비누를 직접 디자인하고 친환경 캠페인에도 동참하겠다는 모임도 많아지고 있다. 비누, 화장품, 식용유의 원료로 쓰이는 팜유의 세계 최대 생산지인 인도네시아에선 과도한 팜유 생산지 확대로 오랑우탄이 사라지고 있다고 한다.

비누와 교육은 관련이 깊다. 비누로는 다양한 체험교육과 과학발명교육, 자격증, 법령교육, 탄소중립 환경교육, 범교과 계기 교육, 인성교육, 다문화교육, 지역사회교육, 상담과 대화교육, 공예교육, 캡스톤 디자인교육 등등 많은 형태의 소재를 가르치기 위한 교구로 활용될 수 있다. 그래서 비누를 알면 알수록 비누에 대한 생각과 교육에 대한 생각이 맞닿아 있다는 것을 발견할 수 있었다. 하나의 개념이 성립되는 데에는 많은 생각들이 모여야 하고, 실험이 이루어져야 하고, 그 실험 결과에 대한 명확하고 확실한 논증의 절차가 필요하다. 그렇지 않으면 표준화된 적정개념의 활용이 어렵기 때문이다. 비누를 제대로 이해하지 못하면 비누를 사용하는 것과 비누를 만드는 것의 행위적 결과물과 실천적 결과물의 차이도 구분할 수 없기 때문이다. 나쁜 물질로 비누를 만드는 것보다는 천연물질로 비누를 만들어 사용하는 것이 보다 더 덕에 가까운 일이기 때문이다.

비누의 과거는 어떤 모습이었을까?

우리나라 최초의 비누는 1945년 프랑스 신부에 의해 도입된 사봉비누이다. 사봉이 비누라는 뜻이니 마르세이유 비누가 맞겠다. 재미있는 어원이다. 드봉비누가 떠올랐다.

< 출처 : https://blog.naver.com/bongbongsoap/222481660368 >

올리브로 만든 천연비누이며 비누에 대한 기록은 고대 메소포타미아에서 양털을 세척하던 때이다. 고대 로마 기록에 의하면 포마드 머리에 사용했고, 지금처럼 몸을 클렌징 하는 목적으로 사용하지는 않았다. 대중목욕탕이 있었던 고대의 그리스 로마에서도 비누는 올리브유로 오일 클렌징을 한 용도였다. 비누의 영어 soap의 어원은 산 정상에서 신에게 제사 지낼 때 불에 태우는 의식에 사용하였고, 동물의 지방 성공과 불에 타고 재성분이 빗물과 만나서 비누가 생겨, 제사를 지낸 날은 아랫 지방에 흐르는 강물이 세정력이 좋다는 사실을 깨닫게 되면서 비누를 발견하게 되었다. 고대 로마의 제사를 지내던 sapone 산에서 이름을 따 비누를 soap이라고 부르게 되었다는 유래가 있다. 비누의 지방은 동물성 지방이나 식물성오일 모두 사용 가능하다. 다음의 사진은 프랑스 사봉비누의 포장 상자안에 있는 미니책자인데 올리브를 쪄서 말리는 방법이 소개되어 있었다. 훈제와 건조를 통해 원료를 가공하는 것이 유통기한이 없는 천연비누를 만드는 비법이었다.

비누는 지방을 강한 알칼리 인수산화 나트륨, 수산화칼륨의 반응을 시켜서 만든다. 비누는 화학적으로 긴 사슬 구조로 한쪽은 친수성이고 다른 쪽은 친유성이다. 원래 물과 기름은 상극이라 서로 섞이지 않는다.

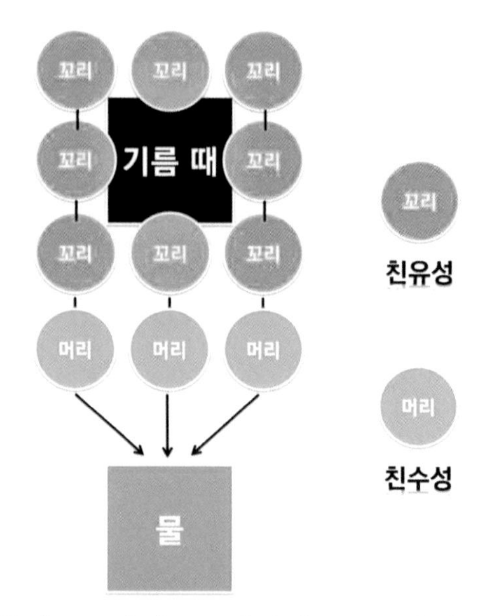

비누는 물과도 친하고 기름하고도 친한 것을 통칭해서 계면 활성제라고 한다. 계면활성제 가운데 가장 대표적인 성분이 비누인데, 성공 여부는 오염물질을 얼마나 잘 닦아낼 수 있느냐이다. 현대의 비누는 알레포 비누인데 시리아 지방에서 식물성 오일인 월계수 잎 등을 베이스로 한 비누이며, 십자군 전쟁으로 유럽으로 전파되어 귀족들 에게 인기를 끌었고, 그 영향을 받은 비누 제작 방식이 프랑스 마르세유 비누다. 흑사병이 퍼지면서 몸을 씻는 행위가 전염병의 원인이라는 잘못된 이야기가 퍼지면서 목욕 자체가 금기시되는 분위기가 조성되었다. 19세기에 들어서야 비로소 현대적 의미의 비누 역사가 시작되었다. 1853년 크림 전쟁으로 인한 사망자

보다 전염병으로 인한 사망자가 더 많았다. 나이팅게일이 비누를 통해 간호를 했는데, 이때부터 위생 개념이 생겼다. 북미의 남북전쟁에서도 위생 관념을 철저히 했고 비누로 손 씻기 행위가 19세기 후반 급속하게 대중화되었다.

대량 생산은 19 세기 비누 회사 설립으로 영국과 미국에서 가능했다. 영국에서는 1807년 최초 에비뉴 회사인 피어스가 설립되었고, 레버 브라더스가 영국에서 1885년에 설립하여 썬 라이트 비누를 출시하였다. 미국에서는 프록터 앤 갬블 1837년 설립이 되었고, 한국은 1947년 비누회사가 설립된다.

2차 세계대전을 거치면서 합성 계면활성제들이 발명되었고 생태주의를 기반으로 친환경 재료를 사용한 수제 방식의 비누 제작을 표방하는 브랜드들이 다시 나타나게 됩니다. 대표적인 브랜드로 1979년 영국의 바디샵이 있고 최근 다시 대량생산 합성 계면활성제 비누에서 수제 천연 계면활성제 비누로 인기를 누리게 되었다. 이런 대형 비누회사들의 제품들 사이에서 요즘은 각자 자기 비누를 만들어 쓰는 제로웨이스트 문화가 점차 확산되고 있다. 건강과 친환경, 제로플라스틱의 흐름에 동참하는 많은 사람들이 틴케이스를 들고 제로웨이스트샵에 들러 비누를 구입해 간다. 하나의 비누문화가 하나의 어젠다를 만나며 새로운 일상의 풍경을 만들고 있는 것이다. 그러면 우리가 만들어 본 포도잎 비누는 친환경비누에 속하는데 과연 어떤 성분이 우리의 호기심을 자극하고 있는 걸까? 바로 레스베라트롤이다. 다음은 최수경 포도잎 박사님의 2013년도 논문 일부이다.

포도잎의 다양한 생리활성 성분은 무엇인가?

레스베라트롤은 포도잎이 주는 신의 선물이다.

“화학식은 C14H12O3이고 분자량은 228.25 이다. 스틸벤(stilbene)의 한 종류로서 식물에서 효소인 스틸벤 합성효소(stilbene synthase ; STS) 덕분에 생성하며, 2개의 구조상 이성체로 존재한다. 오디, 땅콩, 포도, 라스베리, 크렌베리 등의 베리류 등을 포함한 많은 식물에서 발견되고 있는데, 식물이 스트레스를 받을 때 분비되는 피토알렉신(phytoalexin)으로서 포도는 곰팡이의 공격을 받으면 자신을 보호하기 위한 방어물질로 레스베라트롤(resveratrol)이라는 강력한 항균물질을 분비하기 때문에 다른 식물체보다 더 많이 발견된다.

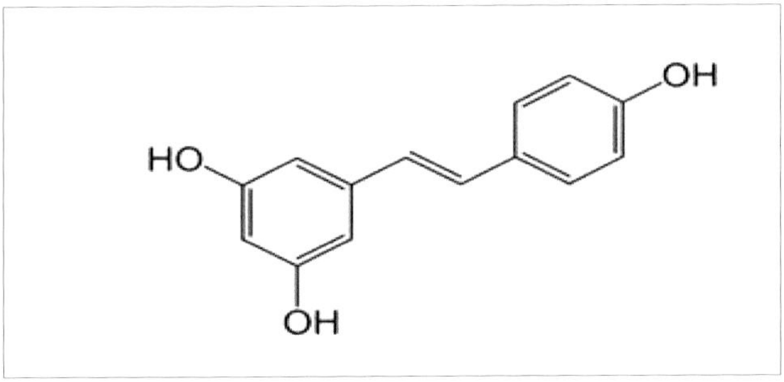

레스베라트롤은 항암 및 강력한 항산화 작용을 하는 것으로 알려져 있으며, 혈청 콜레스테롤을 낮춰 주는 역할을 하는 것으로 알려져 있다. 이 외에도 항바이러스(antiviral), 신경보호작용(neuroprotective), 항염증 작용(anti-inflammatory), 항노화(anti-aging) 및 수명을 연장시키는 효과 등이 있는 것으로 알려져 있다. 프렌치 패러독스(French Paradox)는 레스베라트롤의 작용에 의한 것으로 프랑스인들이 비교적 지방이 많은 음식을 섭취하면서도 심장 질환의 발병률이 낮게 나타나는 현상을 말하는 것이다. 레스베라트롤은 발암의 3단계인 개시, 촉진, 진행 단계 모두를 차단함으로써 강력한 항암 작용이 있다는 사실이 보고되었다. 레스베라트롤은 발암원으로 작용하는 유해한 물질들의 독성을 완화시켜 유전자의 변형을 막아줄 수 있으며, 개시에서 진행의 단계로 접어든 비정상 세포들의 증식을 강력하게 억제할 수 있는 작용이 있다.

최근 연구에 의하면 유방암, 전립선암, 대장암, 폐암 등을 포함한 많은 암세포에서 레스베라트롤은 세포 자살을 촉진하는 유전자들의 활성을 통하여 암세포의 증식을 억제할 수 있음이 밝혀졌다. 또한 레스베라트롤은 세포증식을 촉진하는 특정 유전자 신호전달계의 발현을 조절함으로써 손상을 입은 세포뿐만 아니라 빠르게 분열하는 각종 인체 암세포의 증식을 강력하게 차단할 수 있는 것으로 알려져 있다. 레스베라트롤은 포유동물의 노화를 효과적으로 억제하는 것으로 보고되었는데, 2003년 영국의 과학전문지 <네이처>에 발표한 논문에 따르면 적포도주와 적포도 속의 레스베라트롤이라는 세포 사멸을 억제하는 SIRT1 유전자를 활성화 하여 생명을 연장한다고 한다.[1]"

우리는 **5월 중순에 따서 말린 잎**을 건조 분쇄 후 사용했는데, 어느 시기에 채집한 포도잎인가에 따라 레스

1) [네이버 지식백과] 레스베라트롤 [resveratrol] (두산백과 두피디아, 두산백과)

베라트롤의 성분이 다르다는 것을 알 수 있었다. 포도잎은 품종, 토질, 수확시기, 가공 방법, 잔류농약, 고체화와 액상화에 따라 여러 조건별 성분변화가 있는 성분이다. 현재 화장품 성분 등록에는 포도잎 추출물이 등록되어 있다. 주로 증류나 에탄올 추출에 의해 음료수나 차로 이용은 되었으나 비누로 활용해 본 것은 우리가 처음으로 시도한 것이다. 프랑스 사봉 마르세이유처럼 좀 더 여유가 생기면 적절한 시기에 유기농 포도잎을 경작해서 수확한 뒤 훈제-건조-분쇄-달이기의 과정을 거쳐 농축액이나 한약고의 형태로도 주재료의 변형에 관한 실험을 해보고 싶다. 다음은 교수님의 논문 일부를 동의하에 인용한 것이다.

포도잎의 생리활성 성분을 활용한 포도잎 차와 음료 개발

02. 포도잎 관련 연구_ 포도잎 추출물을 이용한 기능성 포도잎 차 및 음료 개발

표 1. 포도잎의 일반성분

수분	조지방	조단백	조회분	조섬유	탄수화물
80.3	1.9	3.5	1.4	9.4	3.6

"중동이나 동서유럽에서는 포도잎을 절임이나 통조림으로 조제하여 식용으로 이용하고 있으며, 그리스에서는 포도잎을 이용한 전통음식이 개발되어 소비되고 있

다. 일본에서는 포도잎을 반발효시켜 포도엽차를 개발하였으며, 적포도잎을 이용하여 미백 효과가 있는 추출 엑기스를 제조하였다. 그러나 우리나라에서는 포도잎에 함유된 생리활성 성분에 대한 연구가 미흡하며 포도잎에 대한 국민들의 인식이 낮아 대부분의 포도잎은 여전히 폐기되어 이용되지 못하고 있다.

포도잎의 생리활성 성분을 활용한 포도잎 차와 음료 개발

02. 포도잎 관련 연구_ 포도잎 추출물을 이용한 기능성 포도잎 차 및 음료 개발

표 2. 포도 생잎과 데친 잎의 생리활성 성분

종류	Total phenol (mg/g)	Total flavonoid (mg/g)	Hydroxyl radical scavenging ability (%)	Electron donating ability (%)
생잎	4.2±0.1	5.3±0.3	24.8±2.4	47.2±1.1
데친잎	9.4±0.3	15.9±0.4	40.2±1.6	74.8±2.9

캠벨얼리는 단위 면적당 수확량이 많아 우리나라에서 재배 비율이 가장 높은 품종이다. 따라서 본 연구에서는 포도잎의 최적 추출조건을 확인하기 위하여 추출방법에 따른 생리활성 성분을 분석하고 포도잎을 건강기능성 식품으로 개발하는 가능성을 조사하고자 하였다.캠벨얼리 포도잎 추출물보다 MBA 포도잎 추출물에서 총 페놀 함량이 높았으며, 추출 용매에 따라서는 열수추출물보다 에탄올 추출물의 총 페놀 함량이 높게 나타났다.

포도잎의 생리활성 성분을 활용한 포도잎 차와 음료 개발

02. 포도잎 관련 연구_생육단계별 포도 잎의 생리활성 성분 및 항산화능

Electron donating ability of extracts from various grapevine leaves.

(%)

Growth stage	Campbell Early z		Rosario Bbianco	
	outdoors	plastic house	outdoors	plastic house
전엽기	74.9 ± 1.0^{aA}	71.4 ± 1.3^{aB}	67.2 ± 0.8^{aC}	63.2 ± 4.9^{bD}
개화기	67.9 ± 0.3^{bA}	65.7 ± 1.6^{bB}	64.3 ± 0.8^{bC}	62.0 ± 1.3^{bD}
결실기	68.8 ± 0.7^{bA}	59.9 ± 2.0^{cC}	58.7 ± 2.0^{cC}	63.5 ± 0.6^{bB}
착색기	68.1 ± 1.0^{bNS}	67.8 ± 3.9^{b}	68.6 ± 1.9^{a}	70.2 ± 1.1^{a}
성숙기	68.7 ± 0.9^{bC}	73.3 ± 2.0^{aA}	68.6 ± 1.8^{aC}	70.7 ± 2.9^{aB}

추출 시간별로 보았을 때 캠벨얼리 포도잎 열수 추출물은 2시간 추출에서 총 페놀 함량이 가장 높게 나타났으며, MBA포도잎 열수 추출물은 4시간일 때 가장 높게 나타났다. 본 연구에서도 MBA 포도잎에서 캠벨얼리 포도잎에 비해 페놀 및 플라보노이드 함량이 높게 나타나 품종별로 차이를 보였다. 따라서 품종에 따른 다양한 생리활성 성분 및 기능에 대한 심층 분석이 추가로 이루어져야 할 것으로 생각된다. 포도잎에 함유된 폴리페놀 중 gallic acid, epicatechin, caffeic acid, naringin과 resveratrol 5종을 분석한 결과는 폴리페놀 5종 모두 캠벨얼리 포도잎에 비해 MBA 포도잎에서 높게 나타났으며, 에탄올 추출물에서 열수 추출물에 비해 높은 수준을 보였다.

02. 포도잎 관련 연구

In vitro

캠벨얼리와 MBA 포도잎 추출물의 항산화 효과

- 총 페놀, 총 플라보노이드 함량, 폴리페놀 조성
- Hydroxyl radical 소거능, 전자공여능, 총 항산화능 측정

⇒ MBA가 캠벨얼리 포도잎에 비해 높은 페놀 및 플라보노이드 함량을 나타내었으며, 높은 항산화 효과를 나타냄. 또한 열수 추출물에 비해 에탄올 추출물이 생리활성 효과 우수

Gallic acid와 epicatechin 함량은 캠벨얼리와 MBA 포도잎 열수 추출물에서 2시간 이상 추출 시 이전 추출에 비해 높게 나타났다. 포도잎에는 다양한 폴리페놀이 분포되어 있으며, 포도 과실과는 조성에서 차이를 보이는데 이는 잎의 성장 단계와 관계가 깊다. Bogs 등은 포도잎의 proanthocyanidins 중에 epicatechin의 함량이 높게 나타나는 것으로 보고하여 본연구에서 폴리페놀 함량 중 epicatechin 함량이 가장 높은 결과와 유사한 경향을 보였다. 국내 주요 포도 품종인 캠벨얼리와 MBA 및 세단을 이용하여 포도주를 제조하였을 때 MBA 품종에서 레스베라트롤(resveratrol)함량이 가장 높게 나타난 것으로 보고되었다. 본 연구에서도 레스베라트롤 함량은 MBA 포도잎 추출물에서 캠벨얼리 포도

잎 추출물에 비해 높게 나타나 유사한 결과를 보였다. 포도에 다량 함유된 phytoalexin의 일종인 레스베라트롤은 항산화, 항암, 항염증 및 항노화 효능 등 다양한 생리활성이 밝혀져 최근 기능성식품 소재 성분으로 주목 받고 있다. Stilbene synthase는 레스베라트롤을 합성하는데 관여하는 효소로 Wang 등의 연구에서는 포도잎에서 다른 조직에 비해 2배 이상의 stilbene synthase 단백질 발현이 나타났다.

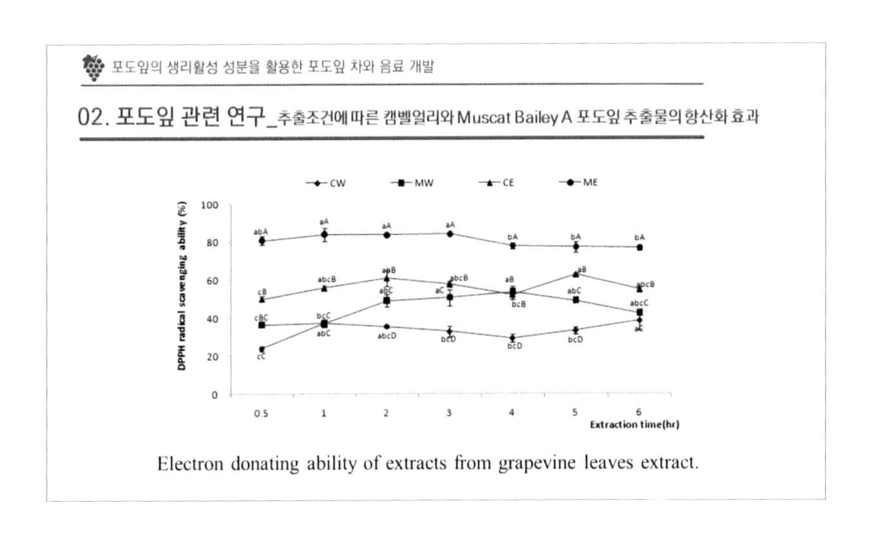

Electron donating ability of extracts from grapevine leaves extract.

이는 포도잎이 자외선 등의 외부 환경에 민감하게 반응하는 부위로 외부 자극에 의해 stilbene synthase 유전자 및 단백질 발현이 자극되는 것으로 보고하였다. Cho 등은 캠벨얼리 품종의 포도에서 부위별 레스베라트롤 함량을 측정한 결과 포도 과피와 씨의 경우 레스베라트롤이 4~8 μg/g 으로 함량이 매우 적게 나타났으며 과육에는 거의 함유되지 않은 것으로 보고하였다. 레스베라트롤은 체내 지질대사를 조절하고 지질과산화물을 감소시켜 항암 및 항염증 효과를 나타내며, 비만과 관련된 질환을 예방하는데도 효과가 있다. 본 연구 결과 MBA 포도잎 추출물에서 레스베라트롤 함량이 높게 나타나 지질 산화를 억제하는 항산화 효과가 우수할 것으로 기대된다.[2)]

포도잎의 생리활성 성분을 활용한 포도잎 차와 음료 개발

02. 포도잎 관련 연구

In vivo

RESEARCH ARTICLE

Antioxidant Effect of Grapevine Leaf Extract on the Oxidative Stress Induced by a High-fat Diet in Rats

- Antioxidant effect of grapevine leaf extract on the oxidative stress induced by a high-fat diet in rats (고지방식이로 유도된 산화스트레스에 대한 포도잎 추출물의 항산화 효과)
- 포도잎 에탄올 추출물의 항산화 효과 분석
- 1%, 1.5% 포도잎 추출물 급여한 흰쥐의 혈액과 간의 항산화 물질 분석
- (Lipid peroxide, glutathione 함량, 항산화효소 활성, 비타민 A 함량 등)

---

2) 추출조건에 따른 캠벨얼리와 Muscat Bailey A 포도잎 추출물의 항산화 효과, 최수경.여계명.임은지.서정숙, 영남대학교 식품영양학과, 한국식품영양과학회지, 2013

<2022 최수경 박사 포은고 초청 특강 모습
강의 주제 : 내가 좋아하는 분야의 지역전문가가 되자!>

II. 영천 포도잎 비누 레시피

왜 스스로 비누를 만드는 것이 건강에 좋을까?

우리가 포도잎비누를 실험하면서 발견한 것은 레스베라트롤과 MBA 포도잎의 우수성 뿐만이 아니다. 포도밭에 둘러싸인 우리 학교의 지리적 위치도 그렇고 매일같이 포도잎을 보니 포도잎비누가 우리 학교에서 발명되어진 것은 어쩌면 당연한 운명이었던 것 같다. 그 다음으로 우리가 발견한 지식은 바로 경피독이었다. 우리는 피부로 흡수되는 독성에 대해 잘 인지하지 못한다. 경기독은 공기로, 경구독은 입으로, 경피독은 피부를 통해 우리 몸에 들어오는 독들이다. 공기는 마스크로 일부 차단할 수 있고, 음식은 거리를 두고 안 먹으면 되지만, 모르고 바르는 화장품이나 세정제품의 독은 반드시 과학적 지식이 있어야 멀리할 수 있는 독이다.

우리는 산업화 시대를 거치면서 다양한 경피독(硬皮毒)으로부터 안전하지 못했다. 수많은 화장품과 세정제의 경피독은 표피를 뚫고 세포 사이로 스며들고 지방층에 쌓이거나 혈액 속에 흡수된다. 생활용품에서부터 화장품에 이르기까지 다양한 제품에서 발견된다.

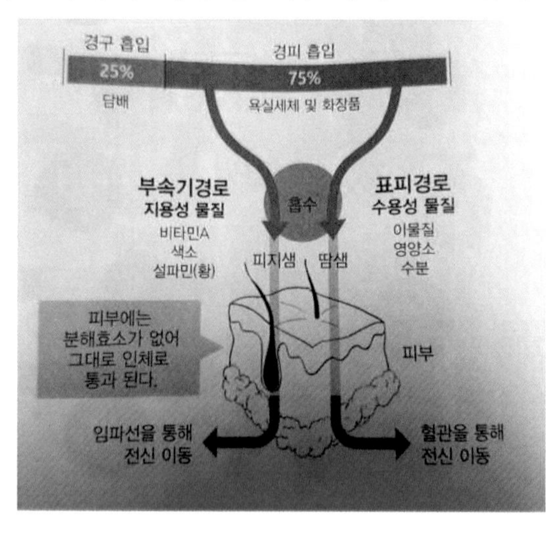

< 출처 : https://blog.naver.com/saellina/222304120165 >

경피독은 각질층이 얇고 모세혈관이 가까운 곳일수록 흡수율이 높다고 한다. 겨드랑이 쪽의 피부를 '1'이라고 했을 때 생식기가 42배로 가장 높았다. 또 모세혈관이 많은 털 끝과 피지 분비가 활발하고 모낭이 많은 이마 및 두피의 흡수율이 높다고 한다. 아침에 일어나서 잠자리에 들 때까지 치약, 비누, 샴푸, 바디로션, 폼클렌져, 기초화장품, 색소화장품 등등 무심코 사용하는 화학 성분들이 체내에 차곡차곡 쌓일 수밖에 없다. '바디버든'(우리 몸에 쌓인 유해물질의 총량)이 심각해진 우리 몸은 다양한 질병의 형태로 스트레스를 받고 있다. 의식적으로 멀리할 수 없는 대형마트의 쇼핑 환경도 바디버든을 심화시킨다.

화장품에 사용되는 색소 역시 천연 색소를 선택해야 한다. 녹차가 내는 초록 빛깔보다 녹차비누의 색상이 더 선명하다. '천연화장품' 또는 '유기농화장품'을 홍보하지만 다양한 계면활성제 및 방부제, 인공 향료나 색소 성분은 여전히 포장재의 스티커에 많은 성분을 확인할 수 있다. 우리는 몇 가지 천연성분만으로도 거품을 낼 수 있는 것을 보면서 자신감을 얻었고 실제 내 몸에 바르는 활동을 해 볼 수 있어서 더욱 안심이 되었다. 유기농 포도잎을 구하기도 쉽지 않고, 팜유가격은 저렴했지만 유기농 오일과 천연색소는 가격이 비쌌다. 하지만 계속 실험이 이어졌다. 학교 주변에 포도밭이 없었다면 불가능한 실험이었고, 우리 학교만이 할 수 있는 지역색이 강한 교육실험이었다.

포도 주산지에서 포도잎 비누 생산지로.. 찾아오는 영천!!

<최종 레시피로 완성된 영천 포도잎 비누의 실체>

영천의 포도 면적은 경북 3위로 1924ha(582만평)이다. 인구 십만명의 강소 농촌 도시에 어마어마한 포도밭 면적에 힘입어 컨테이너 비누체험센터라도 세워보자는 우리들의 아이디어가 향후 어디로 갈지는 아무도 모른다. 왜 지금 시대에 우리는 친환경 비누를 예찬하는가?

필요성은 많다. 코로나 개인위생, 경피독 예방, 탄소중립, 탄소배출 감소, 친환경 천연 에코 생태주의, 제로 플라스틱...등등 기능도 많다. 자기 위생 능력이 평생 건강과 사회건강 아닌가? 언젠가 마스크를 벗더라도 이젠 씻기에 집중할 수 밖에 없는 환경이다. 그리고 무엇보다 만들기 쉽다. 사람의 인연과 포도잎의 인연이 만나 여행을 하고 있다. 100원짜리 거품망 선물 때문에 친환경 비누는 다시 인기 상승 중이다. 노인과 포도밭의 쇠락한 농촌이 청년과 포도잎 비누로 살아나길 기대한다. 영천 포도잎 비누는 장담 하건 데 프랑스 마르세이유 사봉 비누보다 좋다. 매끌 매끌하고 폭신폭신하고 촉촉함과 뽀득뽀득함이 기분 좋고 상쾌하다.

첫 번째 프로젝트 기획

다음은 우리의 첫 번째 실험 아이디어 노트이다. 지역사회-친환경-교육용 키트-심미성 모두 충족되었다. 포포비누에서 시작했는데 결국 포도잎 비누로 마무리되었다. 신기한 생각의 여행이었다.

<table>
<tr><td colspan="4">포포비누 체험산업(포은고 포도비누) </td></tr>
<tr><td>작품명</td><td colspan="3">포도잎 활용 비누 제작을 위한 아이디어 스케치</td></tr>
<tr><td colspan="2"></td><td colspan="2"></td></tr>
<tr><td>지역 농업 부산물
-금호 원산지
포도모양 포도색깔</td><td>지역
사회</td><td>친환경 고체형
비누의 세정력
-거품망(액상보다
계면활성제 적음.)</td><td>친환경</td></tr>
<tr><td colspan="2"></td><td colspan="2"></td></tr>
<tr><td>포도 품종별
체험키트(교육
용 아이템)</td><td>교육용</td><td>토이키링 포함
(개인별 취향 맞춤)</td><td>심미성</td></tr>
</table>

1. 작품 개요

□ 지역사회 포도 수확 과정에서 발생하는 농업부산물(포도순, 포도 솎아낸 것, 수확 후 포도잎과 가지)을 활용한 비누를 제작하여 지역사회 연계 협동조합의 사업 활성화와 친환경 고체 비누 생산을 학생들과 학부모들과 교직원이 함께 도모하고 적정 캡스톤 교육과정 설계로 학생의 진로진학과 장학금을 마련함.

2. 과제 내용

□ 친환경 고체 비누 제작을 통해 액상비누보다 적은 계면활성제를 사용하며, 지역사회 농산물 자원 순환을 도모하고, 코로나 극복을 통한 일상적 방역물품을 직접 조합원들이 제작해 보고 학교협동조합을 통해 판매해 보고 이익을 사회환원해 보는 과정을 통해, 경영학 관련 진학의 실습 실기 이론에 관한 공동작업 과정을 전반적으로 경험해 보고 추후 3학년 고교학점제 선택과목으로 경영학을 선택함으로써 차별화된 교육 서비스를 제공함.

3. 활용 방안 및 기대효과

□ 지역사회 농업경영체와 지역의 친환경 사회적 기업, 관련 대학의 전공학과와의 협력

□ 학교 협동조합의 장기적으로 안정화된 운영 모델 마련(학교협동조합-학교교육과정-지역사회기반산업-사회적 기업)

□ 학생 자치력 강화를 통한 고교학점제 교육과정모델 개발(1학년 협동조합동아리-2학년 시제품-3학년 전공교과선택)

4. 지식재산권

□ 추후 결과물의 효과성과 타당성을 지역의 보건환경연구원과 협업해서 용액 추출 시기에 따른 잔류농약 검사나 Ph농도 등을 검증해보고 사업 추진/UCC나 제품 패키지 디자인을 메이커 교실 사업과 함께 추진 교육하여 융합인재 육성에 일조함.

(거품망 차이, 잔류농약 차이, 포도 품종별 차이, 고체형 액상형 차이)

#친환경 #제로웨이스트

포포 비누

포도잎 비누

지역사회-학교 산학연계 활동

포은고등학교 영어과 교사 박성진

포도순과 잎 채취

폴리페놀함량
1. MBA
2. 캠벨
3. 머스캣

2주 건조

분쇄 후 거름

미세분말
사용

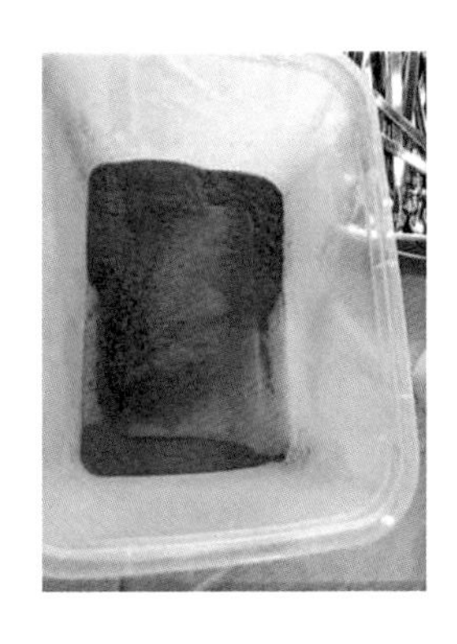

꿀과 혼합

천연향기
오일첨가

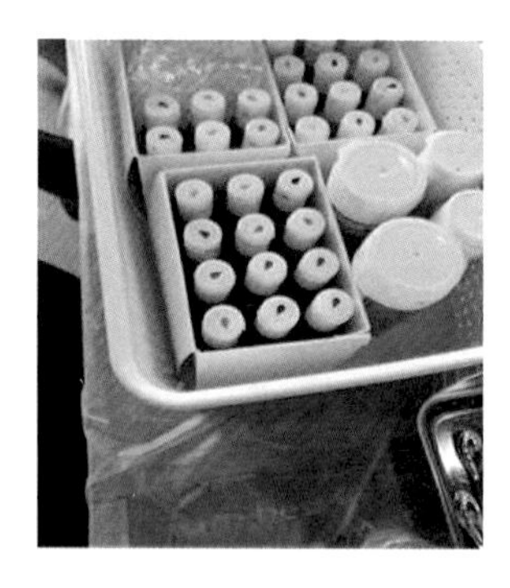

천연색소

비누
베이스혼합

냉동 고체화

**거품망
필수사용**

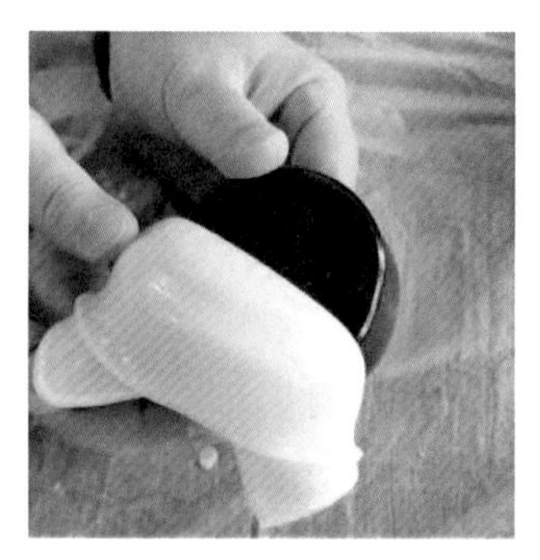

포도잎 비누 마을 지도 그리기와 비누 프로그램 실천 방법

이번 두 달간의 특별한 탐구활동은 영어과와 화학과, 그리고 미술과의 융합프로그램으로 적절한 것으로 보인다. 실험과 발견-영어논문자료검색-디자인과 상품화 등의 캡스톤 디자인 학습의 적절한 구성 요소들이 적용된 사례이다. 다음은 금호읍의 지역적 자원요소와 학습 디자인 표이다.

<표1 영천포도잎 비누 프로젝트의 디자인 프로세스>

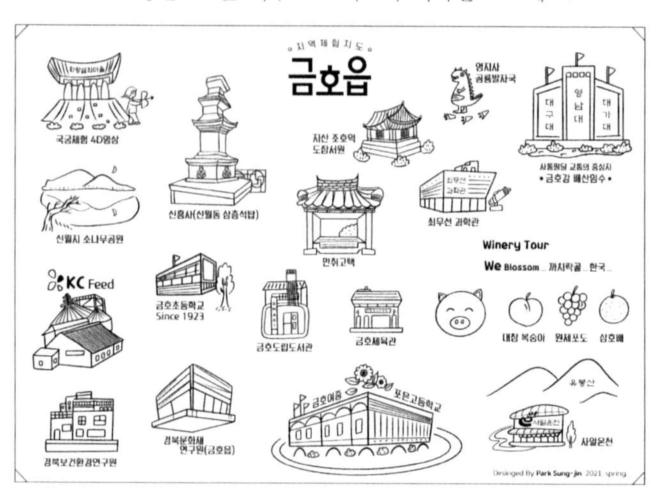

연번	자료 조사 내용	조사 방법	활동 방법	가치어 도출
1	인터넷 검색 및 포도밭 일손돕기봉사	프로그램 도표화	봉사	동아리 활성화
2	비누공방 체험	지역 활동가 인터뷰	창의적 체험활동	일자리 창출 돌아오는 20대 취업하는 60대
3	국회전자도서관 울산과학대	연도별 기사 수집	전문가 검증자료	연결과 확산, 지속가능성
4	대구아로마 테라피강사협회 대한 화장품협회 KCL / 식약처	자격증 법규 연구자료 수집	시민과 학생의 만남의 장	대화와 교류
5	포도농장 한약재 가공공장/사회적 협동조합/특구법 /메이커센터	재료가공 현장답사	지역 축제 참여	공론의 장

<지역 자원 기반 교육 혁신 과정>

주요 영역별 지역 활동가 및 재정 투입 사업명			
미디어교육/ 관련 보도 기사 (지역 신문기자)	봉사활동/학부모 포도농원		연구개발/지역농장
① 지역신문/협동조합--->	② 마을봉사--->		③ 재료가공-->
공간 재구조화/메이커교실	미래학교 예산투입 사회적 협동조합 운영비	투입 예산 영역	인적네트워크구성/ 관리자, 교사, 교수 학생, 주민
④ 체험화--->	사업비		⑤ 책발간

영천 포도잎 비누 여행의 파트너 실천가를 만나기까지 학교와 마을 카페, 마을 활동가들과 인연이 닿은 과정을 나타낸 표이다. 포도잎 비누와 함께 만난 사람들의 이야기가 많은 행운을 가져다 줄 것 같다. 모든 활동은 학생들의 자발적 호기심, 지리적 접근성, 전문가와의 만남, 학부모와 지역민들의 참여를 통해 가능했다.

포은고 경제동아리 포도잎 비누 제작 체험

포은고(교장 박영남)는지난 5월 21일 경제동아리 학생 중심으로 지역 내 체험산업 현장답사를 실시했다. 기존의 단순 체험에서 벗어나 지역체험산업 아이템의 새로운 영역을 발견하고 영천 금호가 주산지인 포도 산업을 관광 체험과 연계하는 방안도 모색해 보았다.

우선 3명의 동아리 학생과 인솔 교사(영어과 박성진)는 영천 관광 택시로 3개의 체험지와 1개의 맛집 코스를 예약하고 금호 국궁장 금무정을 방문해서 국궁체험과 지역동호회 중심의 생활체육이 체험산업으로 활용 가능함을 알게 되었다.

그리고 중간에 맛집 탐방을 하고 관내 비누 공방을 방문해서 금호 포도잎을 활용한 천연비누 제작 체험을 실시했다. 농한기 무농약 포도 순과 잎은 농업 부산물이지만 다양한 효능을 지닌 화장품이나 의약품으로 해외에선 사용하고 있다는 점에 착안해서 천연비누를 제작한 결과 관광상품으로 충분히 체험화가 가능함을 알 수 있었다.

전문경영자가 꿈인 2학년 조정혜양은 '선생님이 마른 포도잎이나 자른 포도 순을 모아 가루로 입자화해 오셨고, 그 재료 위에 꿀과 천연색소, 비누 베이스를 첨가하니 약용비누도 가능해서 향후 지역 인근 대학과 추가 연구를 계속해 보고 싶다.'고 체험 소감을 남겼다.

체험 후 관광택시를 타고 마현산 숲을 탐방하며 다양한 수종의 약용성분을 조사해보고 나무를 활용한 제품에 대한 연구자료도 공유했다. 박영남 교장은 '본교의 경제동아리는 학생 중심 학교 협동 조합과 학교 매점 금포 점빵 운영, 학교 텃밭 운영, 목공체험 등을 통해 익힌 실질적 경제 감각과 다양한 융합사고력을 바탕으로, 지역산업 및 대학과 연계한 우수한 교육 프로그램을 적극 지원하여 미래인재 양성에 최선을 다하고자 한다.'고 했다.

<경북TV 박00 차장 첫 보도>

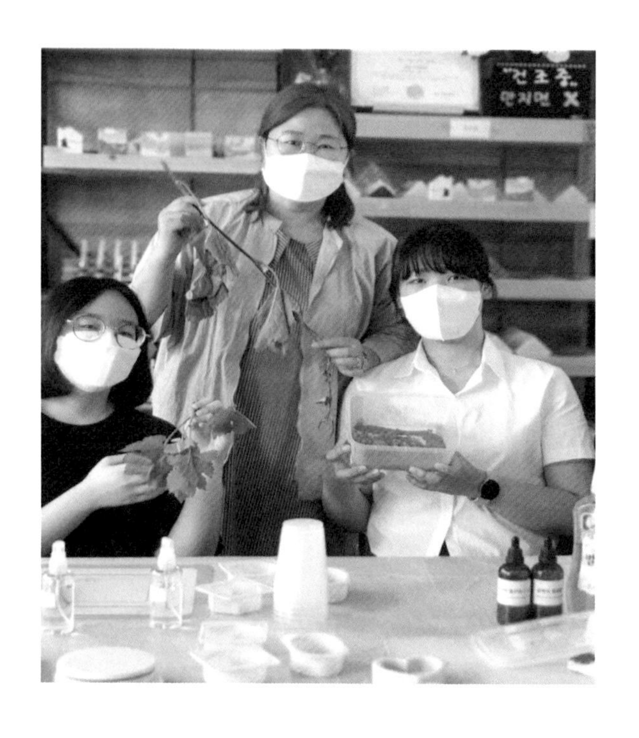
건조중.

GRAPE

2022 탄소중립 캠페인

합성계면활성제, 동물실험과 비건문화, 강물의 수초 증가, 물 부족의 연쇄 고리의 중심에 비누가 있다. 생분해성 물질인 포도잎 비누는 생태계 건전성을 위해서도 필수적인 것이다. 그리고 자기 위생을 위한 비누를 스스로 생산 소비하는 것은 어쩌면 자기생존의 필수 도구이다. 합성 액체비누와 천연 고체비누 중 어떤 것이 탄소중립과 환경에 더 좋은가? 제로웨이스트, 플라스틱 사용을 줄이는 가장 쉬운 방법은 천연 고체비누를 사용하는 것이다. 샴푸, 린스, 바디워시, 클렌져, 로션, 물티슈 등 거의 모든 제품이 플라스틱 용기에 담겨 있다. 미국 해양 플라스틱 폐기물 발생량과 권고사항 등을 담은 전미과학공학의학 한림원(NASEM)보고서에 따르면, 전 세계에서 가장 많은 플라스틱 폐기물을 발생시킨 국가로 미국을 지목했다. 미국은 2016년 약 4200만t 플라스틱 폐기물을 발생시켰는데, 1인당 연간 평균 배출량은 미국 130kg, 영국 99kg, 한국 88kg 순으로 나타났다. 생활 폐기물을 최대한 줄이면서 환경에 도움이 되려고 노력하는 삶의 방식이 확산되고 있는 추세 속에 대안으로 떠오른 것이 바로 액체비누가 아닌 고체 형식의 세정제인데, 머리부터 발끝까지 모든 것을 하나로 깨끗함을 유지할 수 있는 올인원 바라고 불리는 고체

비누다. 고체 비누 같은 경우 포장 자체를 완전히 없앨 수 있다는 가능성을 보여주기 때문에 쓰레기를 줄여 나가고자 하는 삶을 실천하고자 하는 많은 사람들에게 큰 지지를 얻고 있다. 다음은 교내 환경캠페인에 접목해 본 셀프-핸드메이드 비누 주문서이다.

북극곰 비누로 지구를 보호합시다!

★자기제작 천연비누 주문서★

성명 : ________________

1. 오일 선택 -한방울	장미 오일		아르간 오일		페퍼민트 오일
2. 가루 선택 -한스푼	포도잎 가루		뽕잎가 루		커피 가루
3. 천연색소 선택 -한방울	빨강	주황	노랑	초록	파랑/보라
4. 베이스 선택 (400g기준)	화이트 베이스		투명베 이스	코코넛오일 팜유는 기본비율 포함됨. 계절마다 다름	

5. 몰드 선택

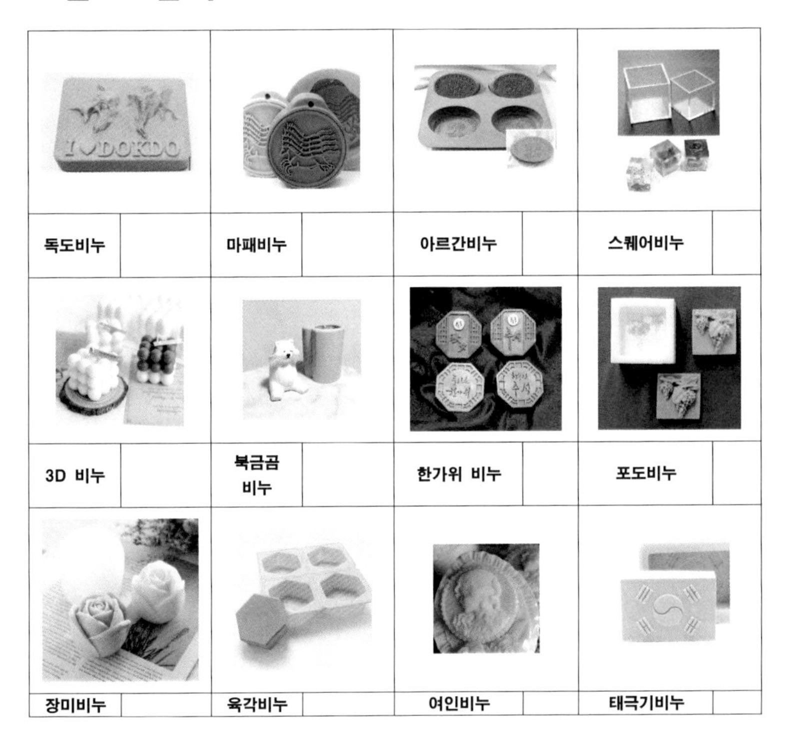

독도비누		마패비누		아르간비누		스퀘어비누	
3D 비누		북금곰 비누		한가위 비누		포도비누	
장미비누		육각비누		여인비누		태극기비누	

IV. 영천 포도잎 비누 여행

비누와 지식산업, 관광산업

코로나 바이러스는 인간 세포와 결합할 수 있는 스파이크 단백질까지 가지고 있다. 우리는 언제 마스크를 벗을 수 있을까? 마스크를 벗어도 손을 계속 씻어야 한다. 비누는 남녀노소가 모두 하루에 몇 번이나 사용하는 생필품이다. 생필품을 내 손으로 직접 내가 원하는 디자인이나 스타일로 만들 수 있는 게 가장 큰 매력이다.

영천 포도잎 비누 만들기 체험 중 발견한 문제점과 개선점도 많았다. 학생-교직원-학부모-특수학생-원어민-잔류학생과의 대화 상담에 용이했다. 비누대화치료 수준의 깊은 얘기도 오고 갔다. 기술지배사회에서 인간의 대화 출구가 되는 다양한 매개체로 커피, 동물, 교구, 비누를 들고 싶다. 먹고 만지는 감각 활동은 의사소통에 분명 도움이 된다. 비누공방 체험을 통해 포도잎 비누 만들기를 하면서 비누가 무른다는 말을 들어서, 혼합비율에 문제가 있었다. 코코넛 오일은 단단하게 해주는 역할을 했다. 꿀을 과다 사용해서 학부모님은 아까워서 못 쓴다라는 말씀을 해 주셨다. 원료 준비에 2주 건조 분쇄 기간이 소요되니 원료가 귀한 것이 되었다. 하지만 베이스가 저렴해서 가성비는 매우 좋았다. 비누가 냉동되는 시간 동안 디저트 만들기도 같이 하니 재미있었고, 다분히 여성 취향의 체험이라 남자분들은 관심이 적었지만, 면도 비누에는 관심이 많았다. 커피와 비누는 2가지 체험을 콜라보 하기 좋았고, 원어민 선생님과 영어체험 영상을 찍을 때와 DIY 키트로 한글 지도 워크시트 만들기도 재미있었다. 대화가 없던 아이들도 작은 비누 만들기라는 역할 부여가 용이 했고 덕분에 대화도 나누고 재미와 성취감도 느꼈다. 위센터 상담팀이 사진을 찍어 가기도 했다. 비누 매개 대화 치료는 여성에게 매우 좋은 반응이었다. 다양한 포장재와 스티커를 활용한 산업 디자인 공부도 되었고, 틴케이스로 제로 웨이스트 샵에 비누를 사러 가는 유튜브 영상이 신선하게 다가왔다. 엄마와 아이가 함께 융합교구로 사용하는 지점에서 신체감각과 언어 인지력, 심미적 감수성이 모두 연결된 인간 능력이라는 지점이 흥미로웠다. 지도 시 화기를 다루기 때문에 마스크나 안전 지도는 필수였고, 관련 메뉴 선택 워크시트가 나왔을 때는 카페에서 커피 고르듯이 맞춤식 주문이 가능해서 몰드의 다양한 구비가 필수적인 요소였다. 손 씻기 캠페인과 탄소중립 서약 등으로 연결될 수 있고 특히 일년 연

중 계기 교육이 가능하고 연령이나 시기에 관계없이 체험수요가 발생하고 당장 쓸 수 있는 체험이라 기존의 소모성 키트 보다는 매우 현실적 생활과학이라는 느낌이 들었다. 레시피가 안정화되고 특허 문제에 여러 분이 관심을 가져주셨지만 우리는 책을 우선 내기로 결정했다. 우리 이름과 노력에 대한 아이디어의 저작권을 남기고 그 다음 일은 어른들의 몫으로 남기기로 했다. 경주 찰보리빵처럼 모든 포도농장을 하시는 분들이 그 동안의 지역농업을 일궈온 댓가로 이름을 돌려드리고 싶다. 전문가특강을 통해 우리가 발견한 포도잎 비누의 유용성과 안전성 등이 시험 테스트를 통과해 산업화 되기를 희망하고, 이번 출간이 온라인을 통해 교정 교열 출판이 된다는 것을 아이들과 함께 경험할 수 있어서 협업의 소중함을 또 한번 느꼈다. 모든 일은 함께 하고 연대할 때 아름다운 법이다.

PoPo
포포비누

MOROCCOARGANOIL

<그림 제공-작가 박성희>

<고2 김사라 학생과 함께 제작한 실험 초기의 DIY 키트>

<장점>

-가성비가 좋다.

-노동력이 조금만 필요한 환경교육 체험이다.

:한 명은 전체 안내, 한 명은 보조, 한 명은 전자레인지와 냉장고를 맡는다.

-토마토와 파르페의 콜라보가 가능하다.

-체험 두 가지를 한 번에 할 수 있다.

-포장과 캐릭터 만드는 재미가 있다.

-한 시간에 스무 명 정도 체험이 가능하다.

-협업하고 대화할 수 있는 시간을 제공해 준다.

-뒷정리가 간단하다.

<문제점과 개선할 점>
-미리 제작해둔다. 선물용에 편리하다.
-5월 10월에 무농약 잎을 채취하는 것이 좋다.
-꿀을 많이 넣어서 물러진다.
-반드시 거품망을 쓴다-풍성한 거품

<추가할 점>
-기다리는 동안 시간이 걸려서 급속 냉동 필요
-전자레인지에서 베이스 넘침
-30초 전자레인지 (반드시 어른이 임장할 것)
-많은 양은 과열 위험이 있으니 하지 말것
-포도잎 작은 지퍼락 봉지 활용할 것
-뽕잎도 가능함.

비누의 교육적 가치가 활용 가능한 영역은 환경교육, 발명교육, 매체교육, 계기교육, 경제교육, 생태교육, 마을교육, 세계이해교육, 다문화교육, 진로적성 상담교육, 문학소재 활용 및 산업디자인교육 등이다. 무엇보다 체험을 하면서 쉽고 대화가 넘친다는 것이 가장 중요하다. 비누에 관한 책은 주로, 첫 번째 책은 왜 비누 제조법이 효과가 있어야 하는지 설명하지 않고 비누 제조법을 많이 알려 주는 책들이다. 다른 하나는 비누 만드는 사람들을 위한 레시피 핸드북이다. 두 번째 책은 너무 많은 과학적 정보를 가지고 있다. 화학과 비누 제조의 물리학에 대한 자세한 정보를 제공하는 이론적인 책들이다. 하지만, 우리는 그것을 간결하게 유지하고 싶다. 비누를 만들고 이 과학을 실천에 옮기며 과학을 이해하고 싶다. 이론과 체험은 서로 상보적이다. 사실 비누는 어떤 레시피 없이도 만들 수 있기 때문에 비누 만드는 것은 하나의 예술이다. 유일한 한계는 우리 자신의 틀에 갖힌 상상력일 뿐이다.

영천 포도잎 비누 만들기 최종 레시피

① 화이트 베이스를 몰드에 넣고 전자레인지에 1분간 녹인다. (인덕션이나 푸딩기에 녹여도 가능하다.)

② 코코넛오일+아르간오일+포도잎가루를 컵에 넣고 스틱으로 섞는다.(다른 오일도 가능)

③ 녹인 비누 베이스와 2번을 섞는다.

④ 굳힌 뒤 포장한다. (비율은 메뉴판을 참고하고 참고로 은근한 푸딩기에 천천히 녹이기를 권장함.)

⑤ 거품망에 비누를 넣어 손을 씻는다.

Grape Leave Soap

-Before making the soap, the leaves should be prepared with the state of the powder.

ONE
Put the soap white base in the mold and microwave for 1 minute. It's melting.

TWO
Put coconut oil and argan oil and grape leaf powder in a paper cup. Mix it with a stick.

Three
Mix the melted soap base with number 2.

FOUR
After hardening, wrap it.

Five
Wash hands with soap in a foam net.

*비누가 보여주는 3가지 지혜 : 디탄대

1. **디**톡스

2. **탄**소중립

3. **대**화치료

자~이제 우리는 어떤 비누를 선택할 것인가?

** 비누 관련 개정 법규 및 논문, 사이트 소개

국회전자도서관 어플 설치 관련 논문 검색

법제처: https://www.moleg.go.kr

대한화장품협회: https://kcia.or.kr

한국비건인증원: http://www.vegan-korea.com

한국아로마테라피강사협회: http://www.aromakorea.net

KCL: http://www.kcl.re.kr

식약처: https://www.mfds.go.kr

영천시농업기술센터: https://www.yc.go.kr/farm

*화장품법의 주요 핵심 조항 정리(출처:법제처)

제14조의2(천연화장품 및 유기농화장품에 대한 인증) ② 제1항에 따라 인증을 받으려는 화장품제조업자, 화장품책임판매업자 또는 총리령으로 정하는 대학・연구소 등은 식품의약품안전처장에게 인증을 신청하여야 한다.

제14조의3(인증의 유효기간) ① 제14조의2제1항에 따른 인증의 유효기간은 인증을 받은 날부터 3년으로 한다.

② 누구든지 제14조의2제1항에 따라 인증을 받지 아니한 화장품에 대하여 제1항에 따른 인증표시나 이와 유사한 표시를 하여서는 아니 된다.

10. 식품의 형태・냄새・색깔・크기・용기 및 포장 등을 모방하여 섭취 등 식품으로 오용될 우려가 있는 화장품

제15조의2(동물실험을 실시한 화장품 등의 유통판매 금지) ① 화장품책임판매업자 및 맞춤형화장품판매업자는 「실험동물에 관한 법률」 제2조제1호에 따른 동물실험(이하 이 조에서 "동물실험"이

라 한다)을 실시한 화장품 또는 동물실험을 실시한 화장품 원료를 사용하여 제조(위탁제조를 포함한다) 또는 수입한 화장품을 유통 · 판매하여서는 아니 된다. 다만, 다음 각 호의 어느 하나에 해당하는 경우는 그러하지 아니하다. <개정 2018. 3. 13., 2021. 8. 17.>
② 누구든지(맞춤형화장품조제관리사를 통하여 판매하는 맞춤형화장품판매업자 및 제2조제3호의2나목 단서에 해당하는 화장품 중 소분 판매를 목적으로 제조된 화장품의 판매자는 제외한다) 화장품의 용기에 담은 내용물을 나누어 판매하여서는 아니 된다. <개정 2018. 3. 13., 2020. 4. 7.>

*드디어 영천보건환경연구원 탐방하는 날!

비누는 제작 시 스테로이드 성분과 잔류농약과 중금속 검사성적서가 있어야 합니다. 안전한 비누는 안전한 성분에서 나옵니다. 그리고 화장품등록업체이어야 제조와 판매가 가능하고 수제비누를 나눔하는 것은 안 되며

본인이 재료로 만들어 쓰는 것은 가능하기 때문에 이번 프로젝트에서 공방체험과 DIY 프로젝트가 가능했습니다. 원료에 대한 성분과 독성을 검사하는 것은 필수인데 대부분의 제품에 쇼듐팔메이트(비누화 팜 오일)가 들어갔는데 이것은 세척용 비누에는 사용 가능한 물질이었습니다. 평상시에 우리가 매우 많은 화학물질에 노출되어 있다는 것을 이번 프로젝트를 통해 알게 되었습니다. 다음 자료는 성분 시험 검사를 위한 자료가 있는 한국화학융합시험연구원의 홈페이지의 관련 내용입니다.

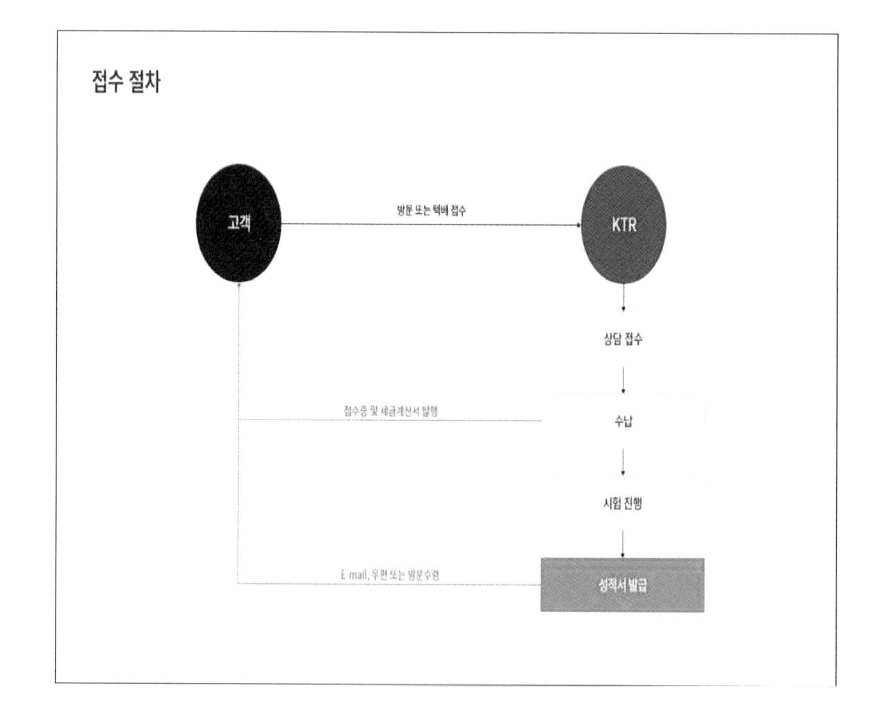

*식품의약품 안전처 화장품 품질관리 기준 참고자료

가. 포름알데히드 : 시험할 때 그 양은 2,000 ug/g 이하이어야 한다.

나. 프탈레이트류 (디부틸프탈레이트, 부틸벤질프탈레이트 및 디에칠헥실프탈레이트) : 시험할 때 총 합으로서 100 μg/g 이하이어야 한다.

다. 디옥산 : 시험할 때 그 양은 100 μg/g 이하이어야 한다.

라. 히드로퀴논 : 알부틴을 원료로 사용한 제품에 대하여 시험하며, 시험할 때 그 양은 1 μg/g 이하이어야 한다.

마. 미생물한도 : 시험할 때 총 호기성 생균수는 눈화장용 제품류 및 어린이용 제품류의 경우 500개/g(mL) 이하, 기타 화장품의 경우 1,000개/g(mL) 이하이고, 대장균 (Escherichia Coli), 녹농균 (Pseudomo nas aeruginosa), 황색포도상구균 (Staphylo coccus aureus)은 검출되지 않아야 한다.

바. 보존제(벤조익애씨드, 그 염류 및 에스텔류 등) : 「화장품 원료지정에 관한 규정」(식약청 고시 제2010-99호)의 기준을 적용한다.

사. 기타 : 이 가이드 라인에 설정되어 있지 않은 기준은 「화장품 기준 및 시험방법」(식약청 고시 제2009-158호)의 기준을 적용한다.

V. 맺음말

이상의 법령으로 보아서도 잘 알 수 있듯이 이번 프로젝트는 다양한 융합적 실험과 연구를 위한 기초단계의 실험이고, 이것은 다양한 법률적 제약이 있기 때문에 실험에서 그친 상태이다. 따라서 보다 안전하고 친환경적이며 법체제 내에서 다양한 실험결과를 통해 인증받는 절차들이 학교밖에서 이루어지는 단계가 남았다. 비누의 원료로서 포도잎 연구 생산 보급은 관련된 기관과 단체, 개인들의 힘을 모은다면 상당한 지역산업으로 도약이 가능할 것이다. 이제 독한 농약 없이도 유기농 포도밭을 운영할 수 있을지도 모른다. 많은 노동력이 없이도 식품이 아닌 화장품으로 포도나무의 변신이 기다리고 있다. 영천 포도잎 비누의 변신과 인기를 요즘 실감하고 있어 다음이 기대되는 콘텐츠였다. 제작에 도움을 주신 박00 교장선생님, 김00 교감선생님, 윤00 행정실장님, 이00 부장님, 조정혜, 류하늘, 김사라, 최수경 박사님, 2개월간의 비누체험에 동참해준 금호여중 포은고 학생 학부모 직원 모두에게 다시 한번 더 감사를 드린다. 이 작은 그리고 짧은 기간의 탐구보고서가 지역에 많은 도움이 되길 바라고 포도잎 비누 만들러 찾아오는 도시로서의 영천을 기대해 본다. 그럼 이만 총총!

<부록1. 교사용 인솔 자료>

2022학년도 경북미래학교 경제동아리 GPSCOOP 체험산업 현장조사 계획

가. 지역 내 국궁과 비누제조, 숲 체험을 통한 체험산업경제 이해

나. 지역 포도잎을 활용한 비누 만들기 체험을 통한 지역 체험산업 현장 방문

다. 지역 숲 체험을 통한 기후변화 위기 대응에 대한 토론 학습

2 운영방침

가. 내실 있는 체험을 위해 소인수로 운영한다.

나. 추가 희망자에 한해 추가 체험을 실시한다.

다. 안전한 체험 활동을 위하여 교통안전 및 체험장 안전 수칙에 관해 사전교육을 실시한다.

라. 인솔교사는 국궁체험, 포도잎 비누만들기 체험, 숲체험 활동에 참여한다.

3 세부계획

가. 일시: 2022.5.21.(토) 13:00~17:30

나. 대상: 고 2학년, 인솔교사

다. 장소: 금호 금무정 국궁장, 봄내음 영천비누공방, 영천 마현산 체육공원

라. 체험 주제: 활과 비누와 숲의 경제학

마. 사전교육: 체험 현장에서 필요한 기초 지식 및 안전 교육 및 학생 비상 연락망 확보

바. 인솔교사 명단

사. 프로그램 일정

시 간	활동 내용
13:00~13:30	학교 출발 및 중식
13:45~14:30	국궁체험
15:00~16:00	포도잎 비누만들기체험
16:00~17:00	숲체험
17:30	**금호읍사 도착 해산**

아. 예상 경비

항목	내역		금액(원)
차량 임차비	영천 관광택시 50,000원×1대=		50,000
체험비	국궁무료	-	-
	비누체험비	30,000원×3명=	90,000
	중식비	8,000원×3명=	24,000
	간식비	3,000원×3명=	9,000
합계			173,000

4 체험시 학생 유의 사항

가. 집합시간과 이동시간, 휴식시간 등을 잘 지킨다.

나. 단체활동을 하며, 개별행동은 하지 않도록 한다.

다. 안전띠 착용 및 운행 중 이동 금지 등 교통안전에 유의한다.

라. 건강에 이상이 있을 때에는 인솔 및 지도교사에게 신속히 연락하여 그 지시(필요한 조치)를 따른다.

마. 각종 시설물 및 기계 이용 시 안전에 유의한다.

바. 소지품은 분실되지 않도록 잘 관리하고, 귀중품은 담임선생님께 보관한다.

사. 화장 등 학생 신분에 어긋나는 행동을 하지 않는다.

아. 쓰레기는 지정된 장소에 버리고 환경 보전 활동에 적극 참여한다.

자. 개인위생 및 코로나 예방에 힘쓴다.

5 인솔 교사 유의사항

가. 출발 전 비상 연락망, 이동 시간, 경유지, 목적지 숙지

나. 개문 가능한 창문 위치, 소화기 위치, 비상 탈출용 망치 위치 확인 및 사용법 교육

다. 위탁교육 중 무단 이탈 금지, 임장 지도

라. 사안(고) 발생 즉시 응급처치와 병원 후송을 위해

경찰서·소방서에 연락을 취하고 지역교육지원청 체험 학습 담당자에게 피해사항을 보고 사안보고서 작성

6 기대효과

가. 지역 연계 체험을 통해 직업에 대한 이해를 높이고 적극적인 진로탐색 동기를 유발할 수 있을 것이다.

나. 경제와 친환경 관련 체험을 통한 학생 개인 소질 및 재능을 발견하고 진로 설계 능력에 도움이 될 것이다.

다. 지역 연계 체험산업 현장 방문을 통해 친환경 경제 아이디어 발굴과 지역 체험 경제 활성화를 위한 정책 제안을 논의하는 계기를 가져본다.

에필로그

영천 포도잎 비누 프로젝트 후기

류하늘

처음에는 포도잎으로 비누를 만들 것이라는 이야기에 조금 놀랐다. 포도잎으로 만든 비누는 보지도 못했고 포도잎이라는 것이 흔한 재료도 아니었기 때문이다. 나는 이 포도잎에 효능이 무엇이고 이걸 실제로 만드는 게 가능한 것인지 의문을 품었었다.

하지만 이 의문은 포도잎 비누를 직접 제작하면서 해결되었다. 포도잎으로 비누를 만드는 일은 생각보다 재미있었는데 특히 색상이 마치 키위와 비슷하게 보여서 은근 괜찮다는 생각을 했다. 그뿐이었다. 그냥 비누에서 끝날 그것으로 생각했던 포도잎 비누는 어느 순간 우리 학교에서 최초로 만들어진 비누로 기사에도 실리고 유튜브에 영상도 업로드되었으며 현재 책자 제작 진행에 돌입했다.

솔직히 별거 아니라고 생각했던 비누로 이 정도의 일을 해낼 수 있다는 사실이 정말 멋있고 그 제작 과정을 내가 함께 했다는 사실이 정말 뿌듯하고 기분이 좋다. 포도잎 비누를 만드는 거 자체는 어떤 큰 의미가 없을지도 몰라도 포도잎 비누를 만들면서 같이 소통하고 다른 화학 비누들 사용을 줄이면서 탄소 중립 프로젝트를 함께 이행할 수 있다는 게 좋은 거 같다.

나는 포도잎 비누 만들기를 하면서 이 비누 만들기와 함께 할 수 있는 활동이 무엇인지 더 생각해보았다. 만약 이 비누 만들기로 소통을 더욱 할 수 있다면 심리상담에서도 활용할 수 있지 않을까 하는 생각도 해보았다. 상담을 진행하면서 비누 대화 치료나 상담을 한다면 사람간의 닫힌 소통을 더욱 열린 소통으로 만들어주는 건 물론 들뜬 생각까지 차분하게 해줄 테니까 말이다.

그 외에도 어린이들과 함께 포도잎 비누 만들기를 하면서 탄소 중립의 중요성과 포도잎 비누를 만들어 부모님께 드리는 것, 친구들과 함께 만들면서 협력하는 것, 포도잎이라는 버려지는 무언가도 재사용할 수 있을 것이라는 창의성 기르기까지, 생각해보면 포도잎 비누 만들기는 단순히 비누 만들기가 아닌 여러 가지를 배우고 공감하고 따뜻한 마음을 나눌 수 있는 교육이 아닌가 싶다.

내가 이러한 생각을 할 수 있었던 건 영어 선생님이 나를 이 과정에 참여시켜 주었기에 아니 어쩌면 영어 선생님이 포도잎 비누를 생각해 내셨기에 가능했던 게 아닌가 싶다. 아직까진 생각의 단계와 체험과 실험의 수준일 뿐이지만 언젠가는 생각만 했던 것을 실현할 수 있을 거라 믿는다.

영천 포도잎 비누 프로젝트 후기

김사라

처음부터 포도잎 비누 만들기에 동참했던 건 아니었다. 아무래도 그냥 너무 흔한 비누이기에 만들어 봤자지 싶었다. 근데 친환경 포도잎 비누라니? 꽤 신선했다. 우리 학교는 포도밭에 둘러싸여 있는 말 그대로 시골 학교인데 그동안 포도밭을 이용해 보려 하지는 않았다. 포도밭엔 포도가 있을 거고 포도잎이 있을 건데 그 잎을 사용한다니, 비누를 만든다니 참 괜찮은 발상이라고 느꼈다. 같이 하자고 처음 제안하신 건 영어 선생님이셨다. 학교에서 자율 활동 중에 선생님께서 오셔서 우리 포도잎 비누 만드는데 같이 키트 만들어 보지 않을래? 라고 하셔서 마냥 재밌겠다는 생각으로 참여했다. 생각보다 하나하나 만드는 게 재밌었고 만들고 나니 뿌듯하기까지 했다. 교무실에 계시는 선생님들 반응도 좋았다. 만든 키트 레시피를 영어로 번역해 원어민 선생님과 비누 키트로 비누를 만들고 영상도 찍었다. 레시피를 미리 적어 놓아 시간을 단축시켜 주어 좋았고 단점도 찾을 수 있어 뜻깊은 시간이었다. 이때 찍은 영상은 유튜브에도 올라가 있고 반응도 좋은 편이었다. 그렇다 보니 더 적극적으로 참여하게 되었다. 초반에는 비누에 꿀을 넣어 아무리 얼려도 녹아내리는 일이 빈번

했다. 꿀을 빼고 코코넛 오일을 넣는 등 노력을 하니 몇 번의 시행착오 끝에 완벽한 비누가 만들어졌다. 여러 과정을 보며 집념을 가지고 더 많이 노력하시는 선생님이 존경스럽게 느껴졌다. 그런 선생님을 보고 나도 주변에 흔하게 있는 환경을 그냥 지나치지 않고 이용해서 또 다른 창작물을 만들어 보고 싶은 생각이 들었다. 그래서 요즘 등하굣길에 주변을 두리번거리며 살피는 습관이 새로 생겼다. 포도잎으로 만든 비누가 우리 학교가 최초이며 기사에 실릴 정도라고 하니 놀라웠다. 이렇게 비누를 상품화해서 우리 학교를 더 알리고 싶다.

포도잎 비누 프로젝트 후기

조정혜

포도 하나로 시작하게 된 이 이야기. 이 책에서 알 수 있듯이 우리는 굉장히 사소한 것에서 시작되었다. 처음에는 그냥 선생님께서 포도 비누를 같이 만들어 보지 않겠냐고 하셨다. 그 이야기를 들은 나는 요즘 마트에 가면 손쉽게 구할 수 있는 비누인데 갑자기 비누를 왜 만들자고 하시는지 의문이 들었다.

하지만 그 계획서에 있던 그 키워드 하나가 나를 여기까지 이끌어 온 게 아닐까 생각한다. 그건 바로 '포도잎'이었다. 작년까지만 해도 집에서 포도 농사를 지었던 터라 포도잎이 그냥 밭에 버려지는 것에 대해 잘 알고 있다. 그래서 그 버려지는 포도잎으로 비누를 만든다고 하니 흥미가 생겼던 것 같다.

하지만 포도잎이 버려지는 데는 이유가 있을 텐데 포도잎을 비누로 만들어서 좋은 게 뭘까 생각했다. 근데 생각보다 포도잎의 효능이 많았고 최근에 알게 되었지만, 포도잎을 음식으로 먹는 나라도 있었다. 이러한 점이 나의 흥미를 돋워 주었다. 처음에는 그냥 재미로 선생님, 친구들과 공방에 가서 포도잎을 넣어 즐기면서 비누를 만들었는데 이게 내가 만든 거라는 생각이 안 들 정도로 너무 예뻤다. 주변 사람들의 반응도 좋았고 그 기세를 몰아 유튜브에 영상을 올렸더니 영상 반응도 좋은 편이었다.

그래서 이후로도 선생님, 학생, 학부모 지역주민분들과 많은 비누 만들기 체험했고 기사에도 오르고 지금 이렇게 책까지 만들게 되었다. 요즘 ESG나 친환경에 대해 많은 사람이 관심이 있는데 이렇게 버려지는 잎으로 많은 효능이 있는 비누를 만들었다는 사실이 놀랍고 매일 매일 새로운 경험과 아이디어가 샘솟는 경험을 하는 중이다. 아이디어란 멀리 있는 게 아니다. 사소한 것에서 시작되어 대단한 발견을 하게 될지도. 이러한 활동에 내가 참여할 수 있어서 너무 기쁘고 잊어버리지 못할 뜻깊은 경험을 계속하여 쌓아갈 것이다. 올해 5월에 수확한 포도잎의 시험성적서가 기다려진다. ^^!

포도잎 예찬

박성진

꽃이 지면
밤에도 낮에도
언제나 피는 포도잎
포도잎은 포도를 위한 신의 선물
인삼잎 뽕잎 다 좋다 하지만
포도잎만 하리오

숨어 있던 잎은
보이지 않은 듯 보이는 듯
눈 뜬 사람에게만 보이는 잎
오래 곁에 있어도 몰랐던 잎
척박해진 토양과 빈한해진 거름에도
해를 받아주니 고맙고 열매를
기다리는 여름도 잎과 함께 자란다.

가을 포도에 봄 포도잎은 잊어도 좋으련만
와인 향은 늘 포도잎이 그립구나
촉촉하면서 포송 포송한
카스테라 문지르는 느낌
영천 포도잎 비누 만나러 가기
넌 우리의 original heritage!